Christian Bobin

Une petite
robe de fête

Gallimard

Christian Bobin est né en 1951 au Creusot. Il n'a jamais quitté cette ville. Il est l'auteur d'une quinzaine d'ouvrages dont les titres s'éclairent les uns les autres, comme les fragments d'un seul puzzle. Entre autres : *Souveraineté du vide, Éloge du rien, L'enchantement simple, L'autre visage, Le Très-Bas.* Dans *La part manquante,* aux Éditions Gallimard, cette phrase comme un autoportrait : « Ce n'est pas pour devenir écrivain qu'on écrit, c'est pour rejoindre en silence cet amour qui manque à tout amour. »

Au début on ne lit pas. Au lever de la vie, à l'aurore des yeux. On avale la vie par la bouche, par les mains, mais on ne tache pas encore ses yeux avec de l'encre. Aux principes de la vie, aux sources premières, aux ruisselets de l'enfance, on ne lit pas, on n'a pas l'idée de lire, de claquer derrière soi la page d'un livre, la porte d'une phrase. Non c'est plus simple au début. Plus fou peut-être. On est séparé de rien, par rien. On est dans un continent sans vraies limites – et ce continent c'est vous, soi-même. Au début il y a les terres immenses du jeu, les grandes prairies de l'invention, les fleuves des premiers pas, et partout alentour l'océan de la mère, les vagues battantes de la voix maternelle. Tout cela c'est vous, sans rupture, sans déchirure. Un espace infini, aisément mesurable. Pas de livre là-dedans. Pas de place pour une lecture, pour le deuil émerveillé de lire. D'ailleurs les enfants ne supportent pas de voir la mère en train de lire. Ils lui arrachent le livre des mains, réclament une présence entière, et non pas cette présence incertaine, corrompue par le songe. La lecture entre bien plus tard dans l'enfance. Il faut d'abord apprendre, et c'est comme une souffrance, les pre-

miers temps de l'exil. On apprend sa solitude lettre après lettre, le doigt sur le cœur, soulignant chaque voyelle du sang rouge. Les parents sont contents de vous voir lire, apprendre, souffrir. Ils ont toujours secrètement peur que leur enfant ne soit pas comme les autres, qu'il n'arrive pas à avaler l'alphabet, à le déglutir dans des phrases bien assises, bien droites, bien mâchées. C'est un mystère, la lecture. Comment on y parvient, on ne sait pas. Les méthodes sont ce qu'elles sont, sans importance. Un jour on reconnaît le mot sur la page, on le dit à voix haute, et c'est un bout de dieu qui s'en va, une première fracture du paradis. On continue avec le mot suivant, et l'univers qui faisait un tout ne fait plus rien que des phrases, des terres perdues dans le blanc de la page. On est à l'école, on fait son métier d'enfant. Il y a, c'est vrai, un grand bonheur de cette perte-là, de cette trouvaille première de la lecture, de sa capacité à déchiffrer une page, à contempler les ombres. C'est même plus fort que du bonheur, il faudrait pour être juste parler de joie. De joie et de frayeur. La joie va toujours avec la frayeur, les livres vont toujours avec le deuil. Après, après cette première fin du monde, autre chose commence. Pour beaucoup, l'ennui. Avec la lecture tu achètes quelque chose qui pour toi n'a pas de valeur – seulement un prix : une place sur le banc de la classe, un rôle dans les bureaux ou les usines. Alors tu laisses tomber. Tu lis juste ce qu'il faut, par obligation. Plus de joie là-dedans, pas non plus de plaisir : rien que de l'obéissance, ce qu'il faut d'obéissance pour aller jusqu'à la fin des études, aux portes du désert. Après tu ne lis rien, même pas le journal, tu fais partie de ces gens qui n'ont pas un seul livre dans leur maison – ces gens-là, un vrai mystère pour les écrivains, ces maisons sous les sables, ces vies où rien ne peut entrer, ni le diable ni les livres. Parfois un dictionnaire, une encyclopédie vendue par un représentant plus malin que les autres, mais on ne les lira pas, c'est pour les enfants, pour le futur, pour les mauvais jours, c'est comme un meuble, un meuble un peu étrange, pas en chêne ou en pin, un petit meuble de vingt volumes papier, payé par traites, on n'y touchera pas. Parfois aussi il se passe quelque chose, pour quelques-uns, moins nombreux, bien moins nombreux. Ceux-là sont les lecteurs. Ils commencent leur carrière à l'âge où les autres abandonnent la leur : vers huit, neuf ans. Ils se lancent dans la lecture et bientôt n'en finissent plus, découvrent avec joie que c'est sans fin. Avec joie et frayeur. Ils s'en tiennent au début, à la première expérience. Elle est indépassable. Ils liront jusqu'au soir de leur vie en s'en tenant toujours là, au bord de la première découverte, celle de la solitude, solitude des langues, solitude des âmes. Avec ravissement ils quittent le monde pour aller vers cette solitude. Et plus ils avancent, et plus elle se creuse. Et plus ils lisent, et moins ils savent. Ces gens-là sont ceux qui font vivre les écrivains, les libraires, les éditeurs, les imprimeurs. Les grands livres, les mauvais livres, les journaux, tout est bon à qui aime lire, tout est nourriture à l'affamé. D'un côté ceux qui ne lisent jamais. De l'autre ceux qui ne font plus que lire. Il y a bien des frontières entre les gens. L'argent, par exemple. Cette frontière-là, entre les lecteurs et les autres, est plus fermée encore que celle de l'argent. Celui qui est sans argent manque de tout. Celui qui est sans lecture manque du manque. La muraille entre les riches et les pauvres est visible. Elle peut se déplacer ou s'effondrer par endroits. La muraille entre les lecteurs et les autres est bien plus enfoncée dans la terre, sous les visages. Il y a des riches qui ne touchent aucun livre. Il y a des pauvres qui sont mangés par la passion de lire. Où sont les pauvres, où sont les riches. Où sont les morts, où sont les vivants. C'est impossible à dire. Ceux qui ne lisent jamais forment un peuple taciturne. Les objets leur tiennent lieu de mots : les voitures avec sièges en cuir quand il y a de l'argent, les bibelots sur les napperons quand il n'y en a pas. Dans la lecture on quitte sa vie, on l'échange contre l'esprit du songe, la flamme du vent. Une vie sans lecture est une vie que l'on ne quitte jamais, une vie entassée, étouffée de tout ce qu'elle retient comme dans ces histoires du journal, quand on force les portes d'une maison envahie jusqu'aux plafonds par les ordures. Il y a la main blanche de ceux qui ont pour eux l'argent. Il y a la main fine de ceux qui ont pour eux le songe. Et il y a tous ceux qui n'ont pas de main – privés d'or, privés d'encre. C'est pour ça qu'on écrit. Ce ne peut être que pour ça, et quand c'est pour autre chose c'est sans intérêt : pour aller des uns vers les autres. Pour en finir avec le morcellement du monde, pour en finir avec le système des castes et enfin toucher aux intouchables. Pour offrir un livre à ceux qui ne le liront jamais.

Une histoire
dont personne ne voulait

défraichi = worn
maussade = sullen
désoeuvré = idle
un comble = height

Le manuscrit est défraîchi. Il y a une date à la dernière page. Cinq ans. Il a été écrit il y a cinq ans. Il vous arrive par la poste. Vous le laissez sur un coin de table, vous n'y pensez plus. Arrive le samedi. Le samedi est un jour où vous êtes très occupé : vous faites le chauffeur de maître pour une poignée d'enfants. On veut aller ici, on veut que tu nous emmènes à la fête, on veut ceci, on veut cela, on veut tout. Vous obéissez avec ravissement, faisant le désespoir des parents qui mettent des heures à contredire cet air d'insouciance que vous amenez avec vous. La vie passe si vite, les jours s'éteignent si tôt. Pourquoi s'inquiéter de demain, aujourd'hui répondra bien à tout. L'insouciance est en vous invincible, comme une forme souriante de la croyance en dieu. Vous n'apprenez rien aux enfants. Vous êtes plutôt à leur école. On vous dit parfois tu exagères, il ne faut pas tout laisser faire, tu devrais être plus adulte. Vous écoutez la leçon de choses en silence, ensuite vous regardez autour de vous, longtemps : pas trace d'un seul adulte. Des enfants maussades, oui, beaucoup. Des enfants tristes qui travaillent, gagnent de l'argent, dépensent leur temps, leur force. Mais des adultes, aucun, aucune trace. Ce samedi-là, les enfants se passent de vous, n'appellent pas. Vous restez chez vous, désœuvré, tranquille. La compagnie de la solitude vous est aussi douce que celle des enfants. Lire, sommeiller, marcher, ne penser à rien, laisser les lumières du ciel pâlir sur la tapisserie des murs. Et par distraction ouvrir le manuscrit à la première page, commencer à lire. Quand vous relevez la tête, l'après-midi est passé, il n'y a plus de jour et ce n'est pas encore la nuit, il n'y a plus qu'une longue étendue de calme – comme une lente montée des eaux du calme, une inondation incessante et lumineuse. Votre pensée est dans ce calme comme à son comble, un comble de fraîcheur et de légèreté : elle ne s'impatiente plus. Elle ne se trouble plus. Elle se repose tout simplement et se mélange à ce qui est, sans plus chercher. Comment nommer cette légèreté. Le mot de bonheur n'irait pas, ni aucun mot pouvant amener son contraire. Le bonheur va avec le malheur, la joie va avec la peine. Ce qui vous arrive ne va avec rien, ou bien avec tout. Il faudrait pour bien le dire recopier le manuscrit dans son entier, mot par mot. L'auteur est une femme d'origine étrangère. Ce n'est pas elle qui vous envoie ce texte mais son ami, son ami de maintenant. Il ne vous demande rien, simplement ce que vous en pensez. Un manuscrit c'est comme un visage, une minute suffit pour voir, deux, trois pages et vous savez. Le récit commence par un abandon, comme dans les contes de fées : celui que cette femme aime, le prince élu de son sang, le roi de cœur, la quitte. Il la mène dans la plus noire forêt de l'abandon, puis il s'en va. Elle reste là, assise au pied d'un arbre. Elle attend. Elle attend, elle attend. Un matin elle se lève, sort de la forêt, entre dans sa cuisine, ferme la fenêtre, ouvre le gaz. Une jeune femme qui tombe sur le carrelage et son âme qui tombe à ses côtés, son âme lourde, plus lourde qu'un oiseau mort, la blanche colombe gazée, étouffée sous le poids de son propre sang. La jeune femme se réveille à l'hôpital. Elle s'appuie sur ses oreillers, regarde autour d'elle, regarde en elle : plus d'âme. Le corps est bien là, en état de marche. Les mains peuvent prendre, les lèvres peuvent dire, les yeux peuvent pleurer. Tout est là, sauf l'âme. Son ami a dû l'emporter dans ses bagages sans y prendre garde. Comment peut-on être si distrait. Elle quitte l'hôpital, revient à la vie courante. Et toujours pas d'âme. Cela ne se voit pas, cela ne s'entend pas, cela n'empêche rien. On peut fort bien vivre sans âme, il n'y a pas de quoi en faire une histoire, cela arrive très souvent. Le seul problème, c'est que les choses ne viennent plus vers vous, quand vous les appelez par leur nom. Vous pouvez être absente de votre vie et tromper tout le monde sur cette absence – tout le monde sauf les bêtes, sauf les arbres, sauf les choses. Tout le monde sauf la blonde lumière d'automne, cette lumière qui pèse de toute sa douceur sur l'écorce des bouleaux et la chair des rosiers. Comment rejoindre ce qui se dérobe. Comment toucher à la vie immédiate, comment retourner à la vie simple. Oui, comment. L'amour est passé sur vous comme les rouges incendies sur les forêts de Provence. Il faudra des années avant que l'herbe repousse, avant qu'un nouvel amour revienne peupler les lieux du désastre – et les lieux du désastre c'est vous tout entière, de la robe de coton aux pensées interdites, de votre goût du thé à votre mélancolie du printemps. Vous tout entière. Comment faire. D'abord commencer par le plus urgent : vous ne pouvez continuer à sortir ainsi, sans aucune âme à vous mettre, sans aucun rire au fond des yeux. Vos yeux, justement. Parlons-en. Ils ne sont plus bons qu'à pleurer, et quand ils ne pleurent pas, ils lisent, et un jour ils lisent une page de Rilke, puis une autre, puis une autre encore, et ce sont tous les oiseaux de l'âme qui reviennent vers vous quand vous ouvrez la volière d'encre. Votre suicide était réussi, comme tous les suicides ratés. Vous aviez perdu bien plus que la vie : la parole, le goût de la parole claire, l'amour de la parole vraie. Vous étiez devant la parole comme un enfant malade devant la nourriture. Rilke vous redonne à manger, un poème après l'autre, une image après l'autre. Avec la parole nue revient toute vérité. Avec la vérité revient toute l'âme. Celle à qui arrive cette histoire désire ensuite la raconter – pour remercier. Elle écrit donc une longue lettre à Rilke, une lettre qui commence dans la petite cuisine sombre et qui finit dans le fond du jardin sous la lumière des tilleuls. Histoire d'une lente rééducation, histoire d'une longue migration des oiseaux morts. Elle a l'habitude d'écrire. Quelques années auparavant elle a écrit des livres qui ont connu la faveur des éditeurs, et celle des lecteurs. Elle se cachait bien plus derrière ces livres mais l'histoire était la même, celle d'une résurrection. D'une mort puis d'une résurrection. Elle écrit comme on doit écrire : sans se soucier de l'écriture mais en prenant le plus grand soin de ce qui ne viendra jamais sur la page blanche, de ce que le moindre mot effarouche-rait – la vie, la vie, toute nue, la vie sans phrase, la vie comme deux petits enfants, la joie et la douleur, ser-rés l'un contre l'autre dans le même lit. Les diction-naires disent que Rilke est un des plus grands poètes de langue allemande. Elle n'écrit pas selon les dic-tionnaires. Elle ne s'adresse pas au mort mais au vivant, à celui qui chemine d'un pas hésitant dans les rues des grandes villes. Son nom n'est pas encore couché dans les dictionnaires. Son cœur n'est pas encore gelé par la gloire. C'est un passant comme les autres, dans l'incertitude et le tremblé de sa vie. Le jour il dort, de ce sommeil commun des travaux obli-gés. La nuit il veille, de cette veille singulière auprès des anges. Écrivant, il ne cherche pas la consolation mais la vérité – qui est le contraire de la consolation. C'est à celui-là qu'elle parle. Qu'est-ce que ça veut dire « grand poète ». Cela ne veut rien dire, absolu-ment rien. L'unique grandeur de celui qui se cache pour écrire lui vient de sa parfaite soumission à la vie brute. Celui qui, des nuits entières, cherche le mot juste, ne fait que développer en lui cette attention dont usent les amants l'un avec l'autre, les mères avec leurs enfants. L'art, le génie de l'art n'est qu'un reste de la vie amoureuse qui est la seule vie. Grand, poète, littérature, cela ne veut rien dire, et elle écrit à Rilke comme on pourrait donner de ses nouvelles à un ami d'enfance resté au pays – l'amant de toutes vies, l'idiot de tous villages. Elle lui parle du gaz dans la petite cuisine, de la lumière des saisons, de la bonté des grands arbres et de ce qu'elle croit être l'amour – de ce qu'elle en invente en le croyant. Son manuscrit achevé, elle l'envoie aux éditeurs et les éditeurs lui disent : on n'en veut pas de votre histoire, on ne sait pas comment la prendre, où la ranger. Et puis vous parlez de qui, au juste, de Rilke ou de vous. Choisissez, c'est agaçant de vous voir ainsi danser d'un pied sur l'autre, d'un mot au suivant. Elle essaie encore. Deux fois, trois fois la même réponse. Elle renonce. Elle est presque guérie. Presque : dans sa douleur elle a trouvé le chant. La souffrance est passée dans l'offrande du livre, mais cette offrande personne n'en veut. Des années passent, cinq. Elle n'y pense plus, elle y pense encore. Par des voies étranges, par d'autres mains que les siennes, ce texte vous parvient, un clair samedi d'automne. Cette lecture d'un samedi imprègne les jours suivants. Vous écrivez à l'auteur, qui vous répond. Les lettres connaissent le même sort que le manuscrit : une seule lecture suffit à les rendre inoubliables. Toujours la même voix calme. Toujours cette absence de mensonge. Pas une seule fois elle n'emprunte la parole générale, cette parole d'aucun corps, d'aucune terre, qui sert pour les idées, qui sert pour le mensonge. En ne parlant que d'elle-même dans le détail de ses heures elle vous donne à voir le monde bien plus clairement que ce qu'en disent les journalistes avec l'impatience de leur voix, la maladie de leur intelligence. Ce qui vous touche dans cette écriture, c'est ce qui vous touche dans la compagnie des enfants : une présence vraie de tout, une manière d'être au monde qui rend le monde léger. Un jour elle vous écrit que son livre enfin est accepté : il sera publié au plus loin d'elle, en Allemagne, dans une langue qu'elle a toujours crainte, dans une terre qui n'est pas celle de l'enfance. Un autre jour, en passant la main sur une nappe de coton pour la défroisser, une image vous vient d'elle, lumineuse, évidente. Comme si elle était toute dans ce geste élémentaire : déplier. Effacer tous les plis et revenir au plus ample, au continu, à l'ample et continuelle douceur de vivre. Vous restez ainsi longtemps, immobile, silencieux, la main à plat sur la nappe, tenant entre les doigts et le coton ce bien le plus précieux : une âme brûlée jusqu'à la transparence, une histoire dont personne ne voulait.

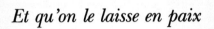

Et qu'on le laisse en paix

L'état de crise est l'état naturel du monde : une guerre après l'autre, une invention après l'autre, un chiffre d'affaires sur un taux de suicides, une famine sur des parfums de luxe. Dans le monde tout se mélange. Dans le monde tout va ensemble, sauf l'amour. Il ne va avec rien. Il n'est nulle part. Il manque. Il manque comme le pain dans les périodes de guerre, comme le souffle dans la gorge des mourants. Il manque comme le temps dans les jeux de l'enfance. C'est qu'il faut du temps pour aimer, tellement de temps que le temps ne suffit pas à répondre aux besoins de l'amour en nous, aux demandes en nous de la voix, du sang, du sang lacté dans la voix firmament. La comète de l'amour ne frôle notre cœur qu'une fois par éternité. Il faut veiller pour la voir. Il faut attendre longtemps, longtemps, longtemps. C'est cela l'état naturel de l'amour. C'est cela son état princier, la merveille de sa nature : attendre, attendre, attendre. Au plus loin de la précipitation et du bruit. Au plus loin de toute crise. Attendre paisiblement. Attendre patiemment. L'amour – et la poésie qui est sa conscience aérienne, sa plus humble figure, son visage au réveil – est profondeur de l'attente, douceur de l'attente. Espérance douce et profonde et lumineuse. Au douzième siècle Chrétien de Troyes crée Perceval le Gallois. Le douzième siècle est comme le vingtième. Tous les chiffres se valent, tous les siècles ont affaire à la même nécessité de manger, de travailler pour manger, de se battre pour travailler et perdre son sang et son temps par la même blessure, dans les mêmes fureurs indécises. Perceval se réveille à la fin du douzième siècle, il monte sur son cheval, sa mère ne voulait pas qu'il soit chevalier, les mères en savent long sur le monde, plus long qu'elles n'en savent dire, mais les enfants désobéissent aux mères et Perceval, enveloppé de lumière, emmitouflé de lumière maternelle, va de château en château, de tournois en tournois, à la recherche d'il ne sait quoi, de presque rien sans doute, du Graal, il ne sait même pas ce que c'est le Graal, il n'entend rien au livre qu'il traverse, il est fatigué, Perceval, c'est fatigant de chercher ce qu'on ignore chercher, c'est fatigant de servir un roi effondré, une reine un peu trop belle, des jeunes femmes trop encombrées d'elles-mêmes dans un monde affairé, agité – en crise. La fatigue est une des choses au monde les plus intéressantes à penser. Elle est comme la jalousie, comme le mensonge ou comme la peur. Elle est comme ces choses impures que l'on tient loin de ses yeux. Comme ces choses elle nous fait toucher terre. Le premier visage de la fatigue dans la vie, c'est celui de la mère, c'est son visage épuisé de solitude. Les enfants dans leur premier âge amènent le songe, le rire et la fatigue surtout, et la fatigue d'abord. Les nuits dévalisées, le bonheur accablant. D'emblée dans la vie la fatigue touche aux deux portes sacrées : l'amour, le sommeil. L'amour qu'elle use comme de l'eau sur la pierre. Le sommeil qu'elle entasse comme de l'eau sur de l'eau. La fatigue est la barbarie du sommeil dans l'amour, l'incendie du sommeil sur des hectares d'amour. La fatigue est comme une mauvaise mère, comme une mère qui ne se lève plus la nuit pour nous réjouir de sa voix, pour nous combler de ses bras. À quoi reconnaît-on les gens fatigués. À ce qu'ils font des choses sans arrêt. À ce qu'ils rendent impossible l'entrée en eux d'un repos, d'un silence, d'un amour. Les gens fatigués font des affaires, bâtissent des maisons, suivent une carrière. C'est pour fuir la fatigue qu'ils font toutes ces choses, et c'est en la fuyant qu'ils s'y soumettent. Le temps manque à leur temps. Ce qu'ils font de plus en plus, ils le font de moins en moins. La vie manque à leur vie. Entre eux-mêmes et eux-mêmes il y a une vitre. Ils longent la vitre sans arrêt. La fatigue se voit sur leurs traits, dans leurs mains, sous leurs mots. La fatigue est en eux comme une nostalgie, un désir impossible. Ils vont comme Perceval, comme le jeune homme séparé de sa mère, d'une plaine à une rivière, d'une rivière à une montagne, d'une montagne à une plaine. Qu'est-ce qu'il cherche, Perceval. Il ne le sait même pas, il ne l'a jamais su, il prend à peine le temps de dormir dans des châteaux déserts à son réveil, il va d'une aventure à l'autre et puis un jour il trouve : une oie cendrée passe au ciel gris, la flèche d'un chasseur l'atteint sous une aile, trois gouttes de sang tombent sur la neige. Perceval descend de cheval, s'approche et se penche, regarde les trois taches de sang rouge sur la neige blanche. Regarde et regarde. Des heures et des heures. Dans leur forme, dans leur teinte, dans le jeu entre elles, les trois gouttes de sang lui disent quelque chose, lui rappellent le visage d'une jeune femme, lui révèlent combien il a aimé ce visage en le voyant, combien grande était son ignorance de l'amour qui venait, à l'instant même où il venait, de ce visage sur fond d'enfance, sur toile de neige. Il ne bouge plus. La fatigue n'a plus de prise sur lui, elle sort de lui, elle ne sait plus y rentrer puisqu'il n'est plus en lui-même, puisqu'il n'est plus qu'en cet amour de loin, puisqu'il n'est plus que sa propre absence dans l'amour seul régnant. À quoi reconnaît-on ce que l'on aime. À cet accès soudain de calme, à ce coup porté au cœur et à l'hémorragie qui s'ensuit – une hémorragie de silence dans la parole. Ce que l'on aime n'a pas de nom. Cela s'approche de nous et pose sa main sur notre épaule avant que nous ayons trouvé un mot pour l'arrêter, pour le nommer, pour l'arrêter en le nommant. Ce que l'on aime est comme une mère, cela nous enfante et nous régénère une mille et unième fois. Trois gouttes de sang.

Trois paroles rouges sur la vie blanche. Des chevaliers viennent chercher Perceval, le roi veut lui parler. Il ne répond pas, toujours penché sur la neige rouge, indifférent à ceux qui prétendent l'emmener ailleurs, plus loin, dans le monde fatigué, fatigant. La poésie commence là, dans ce chapitre, vers cette fin du douzième siècle, sur cinquante centimètres de neige, quatre phrases, trois gouttes de sang. La poésie, la fin de toutes fatigues, la rose d'amour dans les neiges de la langue, la fleur de l'âme au fil des lèvres. C'est dans ce siècle, dans cette furie des affaires, des dettes de sang et des guerres d'honneur, que les troubadours prennent le nom d'une femme entre leurs dents et laissent monter leur chant, une flamme bleue dans le ciel franc. C'est dans ce monde sans issue qu'ils inventent une issue, la porte d'un seul nom dans toutes les langues, l'appel d'un seul vers une seule, et la terre`saisie dans l'étoile de ce chant, illuminée dans le tour de cette voix. C'est dans ce temps que naît une nouvelle figure d'homme, immobile, absent. Immobile sur la neige blanche, penché sur l'absence rouge, ne désirant plus rien du monde – et qu'on le laisse en paix dans la contemplation de son amour. Des heures, des jours, des siècles. Et qu'on le laisse en paix. Toujours, toujours.

Faiblesse des anges

Une de ces journées de juin, fantasque : le bleu du ciel vire au noir, l'air tremble d'un orage à venir. Vous allez chercher la fraîcheur dans un livre. Le premier venu fait l'affaire : un recueil des pièces de Racine. De cet écrivain vous ne savez rien, que des leçons d'enfance. Les étangs d'un sommeil, les serpents d'une phrase. Les chemins lumineux d'un amour. Son silence, surtout. Cet arrêt soudain de l'écriture, au sommet d'une gloire. Ce renoncement soudain aux faveurs, ce superbe retrait dans on ne sait quoi, pour on ne sait qui. Ce silence qui n'a plus besoin de mots pour se dire : l'adieu au monde obscur, aux hommes déserts. Vous ouvrez au hasard. Vous prenez la lumière dans son midi, la lecture dans son profond, dans sa flamme la plus noire, dans sa fleur la plus coupante : *Iphigénie*. L'histoire est faite de replis, de détours et de beaucoup d'hésitations. L'histoire est comme une étoffe pliée en huit. En avançant dans la lecture vous la dépliez, toujours plus grande, toujours plus lumineuse sous vos yeux. Une soie de ciel pur. En lisant vous découvrez peu à peu le motif central et les dessins secondaires. Un père est en guerre contre le reste du monde. Il mène la guerre contre Troie. Tout est prêt. Les vaisseaux sont assemblés sur le port, dans le creux de lire. Tout est prêt depuis des mois, et le départ est différé, et la lecture est empêchée : aucun vent sur la mer. Aucune vague sous l'étau du ciel gris. Les dieux pèsent sur les eaux, sur le caprice du père, sur ses rêves de vengeance. Ils pèsent de toute leur ombre, de tout leur poids d'imaginaire et de crainte. Ils étouffent les océans. Ils contraignent le père à l'impuissance, ils égarent le lecteur dans le noir. Cela, c'est avant la pièce, avant le livre, avant votre entrée sur la scène de la langue, sous les ors de la phrase. Cela, c'est ce qui se passe avant même de lire, avant de délivrer par votre lecture les grands vaisseaux du songe. Un grand livre commence longtemps avant le livre. Un livre est grand par la grandeur du désespoir dont il procède, par toute cette nuit qui pèse sur lui et le retient longtemps de naître. Donc cela au départ. Avant le livre, avant l'écriture. Donc cette ombre planante du père, cette nuit fauve dans la tête de Racine, dans son attente du premier vers, dans l'embarras de ses journées. Partout le piétinement du songe, l'impossibilité d'écrire trop près de soi, trop près d'une enfance déchirée par la fâcherie d'un roi, la violence d'un père. Ce que vous pensez là n'est peut-être rien de vrai, de la vérité historique, de la vérité littérale. Mais cette vérité n'importe pas.

Cette lecture-là, objective, apaisée, n'accomplit pas la lecture, ne l'atteint pas en son cœur, laisse intacte la gangue noire de lecture, le noyau lumineux du vrai tel qu'il est dans le livre, tel qu'il est sous la vie dans vos yeux. Sous la vie dans vos yeux. L'autre lecture seule vous intéresse qui va au radical, aux racines de la lecture en vous, aux poussées d'une phrase dans le profond des chairs. Donc un père. Donc le père est le roi. Donc le roi ne peut exercer sa royauté – sa capacité à assombrir le ciel, à recouvrir la terre – comme il le veut, comme il l'espère, comme il est normal qu'il le désire, étant père, étant roi, étant tout dans le monde qui n'est rien. Enfin l'histoire commence. L'histoire du roi qui sacrifie sa fille pour plaire aux dieux, pour continuer à se plaire dans son rêve de puissance. Le livre s'écrit sous vos yeux. La lecture est contemporaine de ce qu'elle lit. Le lecteur et l'auteur avancent en même temps dans l'éther des passions. Ils assistent au déroulement du drame, au dénoué de l'étoffe mentale, à l'abrupte résolution du problème royal : passer par-dessus soi pour triompher dans le monde. Passer par-dessus son propre cadavre, sa propre chair, le corps sacrifié de sa fille. Bien sûr, il y a d'autres personnages. Il y a la mère. Elle est au loin, sur une île, auprès de sa fille, quand le prince les rappelle près de lui. La mère ne peut rien contre la volonté du père. Elle ne peut préserver l'enfant du ressentiment familial, de l'impossibilité du père à accéder à l'âge d'or, à la quiétude d'une maîtrise. La puissance d'une mère s'arrête là,

aux portes du palais. Bien sûr il y a d'autres personnages, mais aucun d'eux ne compte. Il n'y a jamais
plus de deux personnes dans une histoire. Il n'y a
jamais plus d'un seul amour dans la vie. Il n'y a ici
qu'un père et sa fille. Le reste c'est la langue. La
phrase effilée, rouge de sang. La nudité d'un cœur
vidé de sa lumière. La pluie d'encre sur les nerfs. Il y
a un vertige de cette langue. Il y a un abîme ouvert
par ces phrases, par leur résonance en vous, comme
une pierre dans le puits d'âme, comme une lumière
qui vous porte d'un seul coup à l'obscur de vous-
même. Le vertige vient lentement, d'une page à
l'autre. Il vient de la trop grande clarté des mots. Il
vient de cette violence entre les forces qui se disputent un cœur, comme des orages un pan de ciel. Ces
gens du dix-septième siècle parlent comme ils
construisent leurs châteaux : sans ornementation
inutile, avec un goût profond des symétries. Ils parlent une langue fraîche, ruisselante comme le
marbre de leurs fontaines, nette comme les allées de
leurs jardins. Ils habitent cette langue comme ils
habitent leurs châteaux : dans un désordre épouvan-
table, toutes passions déclarées. Dans leurs salons le
jeu côtoie la mort, le candide frôle le crapuleux.
Dans leurs cœurs c'est comme dans leurs salons : une
royauté ingouvernable. Vous fermez le livre de
Racine, vous allez dans un grand magasin, passant du
dix-septième au vingtième. Dans le magasin vous ren-
contrez un couple. Ils ont eu une histoire que vous
connaissez très bien, dans le détail. En province

36

comme dans les galeries de Versailles, tout se sait, tout s'expose. L'histoire de ce couple est simple, en deux actes. Le premier est le plus bref, c'est celui de son amour à lui pour une autre. La foudre ne tombe qu'au début du deuxième acte : l'épouse qui ne voit rien et qui voit tout, qui hésite entre mourir et tuer, puis qui choisit de tuer, pas avec un couteau ou du poison, non, avec des plaintes, avec des hurlements sans cesse répétés, sans cesse plus forts. Elle va auprès de sa rivale, l'insulte dans la rue, à son travail, la poursuit partout de ses cris, lui téléphone la nuit pour faire passer un silence noir, un souffle empoisonné de haine et de souffrance, elle en fait tant et tant que lui revient à la maison – non par amour mais par fatigue. Par raisonnement, par lassitude du raisonnement. Il n'y a pas de troisième acte. Il n'y en aura jamais. Maintenant ils ne se quittent plus. Deux vaisseaux immobiles sur l'eau morte. Un couple désormais sans histoire, exemplaire. Un couple somnambule, semblable à ceux que l'on peut voir dans le théâtre de Racine, quand la pièce est finie – deux ombres errant parmi les ombres. C'est comme ça dans Racine et c'est comme ça partout. Partout le manque d'étoile, la pénurie d'amour, la grande famine. C'est comme ça pour Phèdre, pour Andromaque et pour Esther, c'est comme ça pour Titus et Bérénice, pour l'empereur de Rome et la reine de Palestine, et c'est comme ça pour ces deux-là, en face de vous, dans le grand magasin. La même pluie de cendres. La même pesanteur des dieux sur les esprits, la même errance dans le sang lourd. Tout commence par une déclaration de guerre : je t'aime – et le reste en découle comme par une loi de chute des anges. Je t'aime. Tu es ce qui éveille en moi le sentiment d'amour, puisque tu peux l'éveiller c'est que tu peux le combler, puisque tu peux le combler c'est que tu dois le combler, tu es le complément en moi du verbe aimer, le complément d'objet direct de moi, j'aime qui, j'aime toi, tu es le complément de tout, le masque d'or du père ou de la mère, l'ombre nourricière penchée sur moi petit, tout petit qui crie sa faim, hurle sa misère, son droit sur terre, son droit souverain sur l'univers et donc sur toi, d'abord sur toi. Vous échangez quelques mots dans le grand magasin avec l'empereur de Rome et la reine de Palestine. Elle, c'est la plus bavarde des deux. Elle est mariée depuis longtemps avec lui, et depuis si long-temps on dirait qu'elle n'a pas grandi, seulement vieilli. Une petite fille aux joues creuses, aux yeux ridés. Elle vous pose beaucoup de questions, sur vous et sur ceux que vous connaissez. Elle est devenue très curieuse de la vie des autres, c'est sa façon de se repo-ser du désastre que de chercher à le reconnaître par-tout. Lui, il ne dit rien, ou presque. Parfois il parle d'elle – avec les yeux, jamais avec la bouche. Il en parle comme d'une enfant, sa pauvre fille à lui, une enfant de quarante-cinq ans abandonnée sur le pas de sa porte, il a la tête d'un gosse qui s'excuse, un sourire pitoyable, il dit quelque chose comme ça : je ne pouvais pas la quitter, elle serait morte dans la nuit – de froid, de peur ou d'étouffement –, vraiment je ne pouvais pas, qu'auriez-vous fait d'autre à ma place. Et vous la voyez, elle, pendant qu'il vous murmure ça, vous la voyez rayonnante, assurée de son droit, lumineuse dans les cendres. L'incertitude demeure quand même. Le coup porté au cœur a touché les racines. Elle ne peut sans trembler entendre le nom de sa rivale, apercevoir son corps dans les rues de la ville. On s'évite, c'est une sagesse de s'éviter. Mais bon, ça ira comme ça jusqu'à la fin, jusqu'au tomber du rideau rouge. Lui, avec ce deuil de l'amour vif. Elle, avec cette panique toujours en elle, comme une écharde. Vous revenez chez vous, vous ne pensez ni à ces deux-là, ni à Racine, vous pensez à une troisième chose. Vous vous dites : c'est quoi le couple, c'est quoi la passion, c'est quoi l'amour. Comme un jeu que vous vous accordez, avec une seule règle : vous avez cinq minutes pour trouver les bonnes réponses, le temps d'atteindre votre maison. Vous trouvez avant la fin du jeu : le couple c'est le lieu de la vie soustraite. La passion c'est le lieu de la vie divisée. Et l'amour ce n'est ni ceci, ni cela. Maintenant vous êtes devant votre porte et vous éclatez de rire, saluant la bêtise de votre trouvaille, l'idiotie de toute définition, riant du dix-septième comme du vingtième, de cette impuissance éternelle à tenir ensemble son amour et le monde, riant pour ne pas trop pleurer de la faiblesse des anges, de la force des chiens.

Regarde-moi, regarde-moi

Elle vous appelle chaque dimanche. Le dimanche est son jour favori – jour de rendez-vous avec un petit cheval blanc, ombrageux. Il est dans l'écurie, isolé. En retrait des autres qu'il ne supporte guère. Un cheval miniature. Un cheval de neige, fiévreux. Elle pourrait en choisir d'autres. Elle ne voit que celui-là. L'enfant et l'animal s'accordent à merveille. Le petit cheval est fou de vitesse. Parfois il devance les désirs de sa cavalière. Il s'emballe sur le manège, il n'en fait qu'à sa tête. C'est un cheval comme dans le rêve : brillant de sueur, lumineux d'impatience. La petite fille l'aime comme un frère. Comme un double. On sourit en les voyant. On les dirait faits l'un pour l'autre, nés le même jour. L'enfant est avec ce cheval comme avec la plus vive part d'elle-même – avec sa part ensauvagée, avec son versant lunaire, orageux. Elle s'apprend elle-même chaque dimanche, dans la crainte et le jeu. Il n'y a rien d'autre à apprendre que soi dans la vie. Il n'y a rien d'autre à connaître. On n'apprend pas tout seul, bien sûr. Il faut passer par quelqu'un pour atteindre au plus secret de soi. Par un amour, par une parole ou un visage. Ou par un petit cheval clair. Quand la leçon est finie, l'après-midi est à peine entamé. D'autres leçons commencent, moins heureuses. Les devoirs qui ne sont pas faits. Et l'éprouvante obligation de s'asseoir devant le piano noir, comme chaque jour. Elle quitte le cheval blanc avec regret. C'est à chaque fois l'éternelle question, la sombre énigme : pourquoi ne pas demeurer là. Puisque j'y suis heureuse. Puisque je suis auprès du cheval blanc comme au plus près de moi. Pourquoi donc avancer, continuer, pourquoi donc toutes ces heures qui m'éloignent de moi comme de tout. Vous ne savez pas répondre. Vous ne pouvez pas répondre, ayant, comme elle, toujours rencontré votre vie dans le jeu – et nulle part ailleurs. En silence vous la ramenez chez elle. Elle goûte, elle bavarde dans le jour finissant. Elle ne va au piano qu'après beaucoup d'appels, beaucoup de cris. La mort dans l'âme. C'est la même comédie à chaque fois, la comédie des parents et de l'enfant : ceux qui tracent le chemin peu à peu, celle qui d'emblée se perd dans la campagne. Ceux qui marchent, celle qui danse. Parfois les parents se disputent. Tu lui laisses faire ce qu'elle veut. Elle n'arrivera jamais à rien, cette petite. Elle en profite pour s'enfuir. Parfois ils s'allient, et leur force est trop grande, leur voix trop haute : elle vient s'asseoir sur le tabouret. Lentement. En négociant jusqu'au bout sa reddition, jusqu'au dernier instant, jusqu'à l'instant de frapper les touches blanches et noires. Elle joue d'abord avec hésitation. Comme un bégaiement des doigts. La rivière est droite sur la partition. Les eaux pures du chant clair. Il s'agit de rejoindre la rivière devant soi. Au début on est loin. C'est effrayant, cette distance entre la partition et la main, entre soi et soi. Cela serait effrayant si tout, dès la première touche enfoncée, n'était donné, parfait. Il y a l'infirmité des débuts. Il y a la grâce vers la fin. Entre les deux, la croissance nécessaire de l'esprit, l'égarement dans un travail, une durée. Le début et la fin sont donnés ensemble, on ne le voit qu'après. On ne voit que longtemps après qu'il n'y a jamais eu de différence entre la gaucherie de l'enfant et la légèreté du dieu, entre la fleur et le fruit : la grâce ne chasse pas nos maladresses. Elle les couronne. Deux notes tremblées et la musique est déjà là, rayonnante. Accomplie dans la faiblesse des débuts. Après c'est simple. Après c'est apprendre, qui n'est rien : laisser la musique venir à soi. Doucement. Un peu plus près chaque jour. Apprivoiser le cheval d'or de la musique. Lui donner à manger par vos doigts. Vous regardez le dos de l'enfant, courbée sur le clavier. Le dur travail de se connaître, de s'affronter à ce qu'on ignore – loin derrière les enclos, loin derrière les partitions. Qu'est-ce que c'est, apprendre. Apprendre à jouer, apprendre à vivre. Qu'est-ce que c'est, sinon ça : toucher au plus élémentaire de soi. Au plus vif et rebelle. Les semaines passent, et puis les mois. Maintenant elle ne vous appelle plus, ce n'est pas la peine, c'est convenu ainsi : le dimanche il y a vous et il y a le cheval. Vous la retrouvez là-bas. Vous la regardez en fumant une cigarette. Huit, dix enfants sur des chevaux, et celle-là surtout, le visage irradié de lumière sur sa monture blanche. Vous êtes dans la bêtise de l'adoration. Vous êtes d'ailleurs de plus en plus ainsi, avec tous visages. L'écriture n'arrange rien, elle aggraverait plutôt cette stupeur, cette saisie du monde par enlèvement de soi. Vous pensez plein de choses au bord de ce manège, mais aucune pensée ne vous prive du regard sur les chevaux qui vont au pas, chacun pourvu d'un caractère et d'un nom propre. Elle, elle aime bien que vous soyez là, à la regarder. Dans ses jeux elle a parfois ce cri que poussent tous les enfants, cette demande de la terre au ciel, et du ciel à la terre, cette phrase partout mendiante, cette poussée de vérité : regarde-moi, regarde-moi. Les enfants appellent ainsi à l'instant le plus périlleux de leurs jeux, à cet instant dont ils supposent qu'il leur vaudra gloire et honneur. Regarde-moi, regarde-moi. Vous vous dites : les chevaux aussi demandent ça, et les arbres, et les fous et les pauvres, et tout ce qui passe dans le temps – pour un temps. Partout l'appel, partout l'impatience de la gloire d'être aimé, reconnu, partout cette langueur de l'exil et cette faim d'une vraie demeure – les yeux d'un autre. Regarde-moi, regarde-moi. Vous pensez des choses comme ça devant le manège, mêlées à d'autres : le loyer à payer, la page à écrire, les chaussures à réparer. Dans votre tête c'est comme sous vos yeux : illimité, indéfini. Du temps passe encore, sans toucher aux dimanches. Un an, deux ans. Le piano a disparu. Il est toujours là, mais l'enfant n'y va plus. Elle a conclu un marché. Voyons : je joue de deux instruments, la flûte, le piano. C'est un de trop. Je laisse le tombeau noir du piano, je garde l'eau vive de la flûte. Tous les jours, c'est promis. En échange il y aura un dimanche par semaine, avec un cheval au milieu du dimanche. Elle tient sa promesse. La leçon de musique devient moins tourmentée. Toujours un peu l'orage des voix, le grondement des parents, mais ça va quand même, ça va de mieux en mieux. Elle joue à merveille de l'instrument. Pas de cordes, pas d'ivoire, pas de tabouret. Juste l'air, un roseau d'air entre les doigts. La flûte va mieux – va mieux avec le petit cheval. Le piano c'est récent, c'est une invention récente, comme la lecture ou le bonheur. Il n'y a pas toujours eu des pianos, des livres ou du bonheur dans le monde. Il y a toujours eu des chevaux, des fées et du vent dans les roseaux, toujours, dès le début, dès la naissance de dieu dans les steppes d'Asie, dans les forêts géantes et sur l'eau verte des lacs. Les dimanches se suivent, sur la même partition claire : d'abord le cheval, ensuite la flûte. Enfin le bain, le repas et le lit. C'est une histoire qui dure depuis maintenant trois ans. L'enfant grandira, vous le savez bien. Un jour vous la verrez moins, et puis presque plus. Un jour le cheval blanc ira dormir dans un pré noir – plus noir que le piano. Cela aussi vous le savez. Mais cela ne touchera pas à cette histoire des dimanches. C'est une histoire éternelle, à peine pouvez-vous l'écrire. Oui, tout changera : l'enfant, le cheval et vous-même. Tout changera sauf la lumière, la belle lumière de ces dimanches, et cette voix d'où elle vient, cette voix radieuse par manque de tout – le galop d'un petit cheval fou sur la voix nue, dans le cœur blanc : regarde-moi, regarde-moi.

Terre promise

Vous qui voyagez peu, vous qui ne voyagez jamais, il vous arrive quand même, un jour, de prendre un train. Dans la gare, beaucoup d'hommes d'affaires. Vous les reconnaissez de loin – à leur visage qui manque. Le même homme à des dizaines d'exemplaires. Le même homme jeune, vieilli dans sa parole, embaumé dans son avenir. Vous les regardez avec un peu de crainte, comme dans l'enfance on considère de vieilles gens sèches, à la voix sombre. Le train arrive. C'est un de ces trains rapides inventés par les hommes d'affaires, pour leur convenance personnelle. Une ligne droite de train clair. Une main de vent froid qui égalise les champs et les vide de leurs rides, de leurs accents, de leurs nerfs. Des champs désertés par le regard, par les hommes et les bêtes. Des bas morceaux de terre jetés aux chiens de la vitesse. Le paysage n'est plus rien, ce qui fait qu'on le traverse vite. Devant ce rien du paysage, vous prenez connaissance de l'homme fabriqué en série, de l'homme absent : il va de Paris à Tokyo, de Tokyo à

51

New York. Il va partout sur la terre électrique, comme un cadavre répandu dans sa mort. Il prend des trains. Il prend des trains qui vont d'un point à un autre. De rien à rien. Dans sa précipitation il amène le vide. Si souvent qu'il parle, il n'entend que lui-même. Si loin qu'il aille, il ne trouve que lui-même. Il tache de gris tout ce qu'il traverse. Il dort dans ce qu'il voit. Vous vous dites : ces gens qui voyagent tant, ils ne font plus un seul pas. Ils n'avancent pas, jamais. Pour bien voir une chose, il vous faut toucher à son contraire. Vous n'avez jamais su voir autrement : par l'ombre vous allez à la lumière. Par l'indifférence vous atteignez à l'amour. De même ces hommes des trains de luxe, des vols de nuit. De même ces hommes anéantis dans l'équivalence financière qu'ils amènent : en les voyant, vous découvrez un type d'homme qu'ils ne savent réduire, qui va beaucoup plus loin que jusqu'au bout du monde. En les voyant vous découvrez l'homme déplacé, l'homme mélangé. L'homme inconsolé de trop d'enfance, ou trop de faim. Sur son visage, tous les ciels. Dans son cœur, toutes les voix. Il y aurait ainsi deux types d'hommes. Il y aurait l'homme immobile des longs voyages d'affaires. Il a une place dans le monde. Il travaille à ne faire qu'un avec cette place. Il en extrait les matières froides, les langues mortes. La raison, l'ambition, la puissance. Il est aussi à l'aise dans l'industrie que dans la morale, dans ses amours que dans ses comptes. Il éteint toutes différences dans sa langue. Il peut répandre partout cette maladie qu'il est à lui-même. Il peut être partout car il est de tout temps. L'homme d'affaires n'est que le dernier avatar, le plus récent, de l'homme livide. L'homme livide c'est l'homme social, c'est l'homme utile, persuadé de son utilité. C'est l'homme de la plus faible identité – celle de maintenir les choses en état, celle du mensonge éternel de vivre en société. Et puis il y aurait un autre type d'homme. Inutile, celui-là. Merveilleusement inutile. Ce n'est pas lui qui invente la brouette, les cartes bancaires ou les bas nylon. Il n'invente jamais rien. Il n'ajoute ni n'enlève rien au monde : il le quitte. Il s'en découvre quitté, c'est pareil. On l'aperçoit ici ou là. Il pousse devant lui le troupeau de ses pensées. Il rêve dans toutes les langues. De loin, visible. Il est comme ces gens du désert, ces hommes bleus. Il est comme ces gens aux chairs teintées du tissu qui les garde du soleil. Il a le cœur perclus de bleu. On l'aperçoit ici ou là, dans les révoltes qu'il inspire, dans les flammes qui le mangent. Dans les livres qu'il écrit. C'est pour le voir que vous lisez. C'est pour les heures nomades, pour la brise d'une phrase sous les tentures de l'encre. Vous allez de livre en livre, de campement en campement. La lecture, c'est sans fin. C'est comme l'amour, c'est comme l'espoir, c'est sans espoir. Un jour vous lisez *Le Docteur Jivago* de Pasternak. L'histoire se passe dans votre pays d'enfance – la Russie. Vous qui n'avez jamais quitté la ville de votre naissance, la petite ville française attristée par l'industrie, vous qui redoutez le moindre voyage, vous avez depuis toujours rencon-

tré votre enfance dans un rêve de Russie, dans la
neige d'un silence, la blanche fourrure d'une voix.
Le livre de Pasternak c'est un gros livre, un livre pour
une grande faim, une histoire comme la vie, avec des
milliers de bougies dansant sous des milliers de
visages. Paroles, gestes, lettres. Chevaux, incendies.
Branches basses du feu dans la forêt de l'âme. Vous
ouvrez le livre un vendredi soir, vous atteignez la dernière page un dimanche dans la nuit. Après il faut
sortir, retourner dans le monde. C'est difficile. C'est
difficile d'aller de l'inutile, la lecture, à l'utile, le
mensonge. Au sortir d'un grand livre vous connaissez toujours ce fin malaise, ce temps de gêne.
Comme si l'on pouvait lire en vous. Comme si le livre
aimé vous donnait un visage transparent – indécent :
on ne va pas dans la rue avec un visage aussi nu, avec
ce visage dénudé du bonheur. Il faut attendre un
peu. Il faut attendre que la poussière des mots s'épar-
pille dans le jour. De vos lectures vous ne retenez
rien, ou bien juste une phrase. Vous êtes comme un
enfant à qui on montrerait un château et qui n'en
verrait qu'un détail, une herbe entre deux pierres,
comme si le château tenait sa vraie puissance du
tremblement d'une herbe folle. Les livres aimés se
mêlent au pain que vous mangez. Ils connaissent le
même sort que les visages entrevus, que les journées
limpides d'automne et que toute beauté dans la vie :
ils ignorent la porte de la conscience, se glissent en
vous par la fenêtre du songe et se faufilent jusqu'à
une pièce où vous n'allez jamais, la plus profonde, la

plus retirée. Des heures et des heures de lecture pour cette légère teinture de l'âme, pour cette infime variation de l'invisible en vous, dans votre voix, dans vos yeux, dans vos façons d'aller et de faire. À quoi ça sert de lire. À rien ou presque. C'est comme aimer, comme jouer. C'est comme prier. Les livres sont des chapelets d'encre noire, chaque grain roulant entre les doigts, mot après mot. Et c'est quoi, au juste, prier. C'est faire silence. C'est s'éloigner de soi dans le silence. Peut-être est-ce impossible. Peut-être ne savons-nous pas prier comme il faut : toujours trop de bruit à nos lèvres, toujours trop de choses dans nos cœurs. Dans les églises personne ne prie, sauf les bougies. Elles perdent tout leur sang. Elles dépensent toute leur mèche. Elles ne gardent rien pour elles, elles donnent ce qu'elles sont, et ce don passe en lumière. La plus belle image de prière, la plus claire image des lectures, oui, ce serait celle-là : l'usure lente d'une bougie dans l'église froide. Qu'est-ce qui vous reste à présent du grand livre de Pasternak. Un visage. Le visage d'un homme séparé de son amante par des milliers d'hivers. Ce visage est dans l'ombre. L'homme est assis à une table, dans une maison de bois, perdue dans la forêt. Il écrit une lettre. La lettre est longue, interminable. L'encre noircit plusieurs feuillets. C'est tout. Oubliés les noms, les événements. Tout effacé. Tout gelé sous les étangs du livre. Demeure encore la fièvre de cette lecture – cette bonne faiblesse, si longue à s'en aller. C'est la même que vous retrouvez après l'amour, ou vers la fin d'une promenade. On dirait une fatigue, mais une fatigue d'un genre particulier, une fatigue qui repose. Devant les livres, la nature ou l'amour, vous êtes comme à vingt ans : au tout début du monde et de vous. Vous ne bougez pas. Vous regardez les trains partir un à un. Vous regardez ceux qui les prennent, les hommes d'affaires, les hommes livides. Ils parlent en attendant leur train. Ils parlent de choses sans intérêt, de choses d'argent. Vous êtes très près d'eux mais vous n'entendez pas leurs voix : un bruit les recouvre, le crissement d'une plume sur du papier. Un bruit incessant, comme si celui qui écrivait se vouait à une tâche infinie. Un bruit léger comme celui de la neige sur une petite maison de bois en Russie, terre promise.

Vie souterraine

Elle écrit. Des carnets de toutes les couleurs. Des encres de tous les sangs. Elle écrit le soir, ce ne serait pas possible autrement. Après les courses, le bain donné à l'enfant, les leçons à faire réciter. Elle écrit sur la table desservie. Loin dans le soir. Tard dans la langue. Quand l'enfant l'abandonne pour la menue monnaie d'un sommeil, ou d'un jeu. Quand ceux qu'elle nourrit ne savent plus rien d'elle. Quand elle est à elle-même hors d'atteinte : seule devant la page. Misérable devant l'éternel. Beaucoup de femmes écrivent ainsi, dans leurs maisons gelées. Dans leur vie souterraine. Beaucoup qui ne publient pas. Ma vie me fait souffrir. Ma vie me tue le jour, la nuit je tue ma vie. J'attendais d'être reine. Je ne sais plus que mendier. Je voulais vivre de bel amour. Je meurs de sale blessure. Et pourtant je suis là : indemne. Je souffre de ma vie intacte dedans ma vie ruinée. Je meurs de trop de chant dans trop peu de feuillage. Elle va dedans sa vie comme une aveugle. Elle va dans l'écriture comme un printemps. De temps en temps elle vous montre un carnet. Chacune des phrases vous touche, comme au fleuret : leur pointe acérée pénètre à merveille dans vos yeux. Ce qui vous touche est un mystère. C'est là et c'est ailleurs. Un jour elle écrit. Un autre jour elle n'écrit plus. Ce deuxième jour dure des années. Ce temps est emmené par l'enfant dernier-né. Elle renverse le lait des encriers. Elle lange l'enfant dans les pages blanches. Elle lui cède toutes ses phrases. Il en fait des ombres chinoises, des cris, des rires. Il en fait n'importe quoi. Elle lui donne son bien le plus précieux – sa voix. Il en fait un jouet docile, merveilleusement souple. Elle s'attache à l'enfant de tout ce qu'elle lui donne : les carnets, la solitude, le silence. Tout. Elle contemple l'étendue chaque jour croissante des fatigues. Elle sourit. On pourrait même parler de bonheur. Une espèce singulière du bonheur. Une manière d'être heureuse qui n'empêche pas la souffrance, qui ne gêne pas le désespoir en cours. Un roseau sur le bord des eaux noires. Elle est dans le souci incessant de l'enfant, dans la veille insomniaque. Elle est dans ce souci pour tous ceux qui l'approchent. C'est une façon apprise dans l'enfance. C'est une nature seconde, plus forte que sa nature. C'est sa façon d'aimer, elle n'en connaît pas d'autre : d'un amour de pure perte. D'un amour survivant à toutes fins. D'un amour survivant à l'amour. L'enfant grandit, fortifié d'elle. Les premiers pas, les premiers mots. Les heures d'école. Alors elle revient aux carnets. Doucement d'abord.

Comme à la dérobée. Fautive, furtive. Dans les premières pages, elle colle des photographies de l'enfant. Puis, un peu plus loin, des fragments de peinture. Avec parfois une phrase d'un livre aimé. Un galet dans l'eau vive des lectures. Les images se font plus rares. Les phrases s'agrandissent. Toujours des citations – qu'elle corrige quelquefois. Elle dit : rectifié. Ça, c'est du Paul Eluard rectifié. Et ça, de l'Apollinaire, rectifié aussi. Elle change un mot, exile une virgule pour atteindre à plus de fraîcheur. La convalescence se poursuit. La greffe prend bien. Elle renoue peu à peu avec sa voix, d'abord couverte par celle des autres. Enfin elle n'écrit plus qu'elle-même. Seule et chantante. Désespérée et riante. L'enfant sommeille dans la chambre à côté. L'enfant qui bientôt la quittera. L'amour qui nécessairement la tuera. Comme on rêve, elle écrit. Comme on rêve d'une vie d'autant plus vraie qu'elle manque, d'autant plus claire qu'elle brûle. L'enfant n'y entre pas dans cette vie, ni le mari, ni même soi. C'est une vie qu'on n'a pas, et pourtant c'est la seule. Elle écrit pour l'avoir. Elle écrit pour le pain quotidien, celui qui n'est jamais donné. Le pain de silence, la mie de lumière. Le blé de l'encre. On s'éprend de son style comme on pourrait s'éprendre d'elle. C'est la même chose. La même rivière sous la feuille blanche, sous la robe rouge. Elle est devant la langue comme devant le miroir des légendes. Dans l'enfance elle contemplait le ciel dans une flaque d'eau. Son cœur se prenait aux plus simples lumières. C'est cela qu'elle trouve dans l'écriture. C'est cela qu'elle trouve dans la lecture. Elle lit beaucoup, des romans. Les livres sont comme une eau de fontaine. Elle en approche son visage pour le rafraîchir. Il n'y a aucune différence entre la lecture et l'écriture. Celle qui lit est l'auteur de ce qu'elle lit. Parfois l'auteur est inégal, elle s'ennuie de sa propre lecture comme on dort d'un sommeil laborieux, épuisant. Comme elle est sage, comme ses parents ont mis en elle cette obéissance de sagesse, ce mensonge du devoir, elle va jusqu'au bout du livre, elle ne sait pas plus abandonner un mauvais livre qu'un mauvais mari. Tant pis elle reste, elle va jusqu'à la dernière page, jusqu'à la fin des temps. Le mari souvent s'étonne : encore un roman. Elle ne répond pas. D'ailleurs allez répondre à cette question : pourquoi tu lis des romans, pourquoi cette manie de bonne femme, ce temps gâché à lire. Qui entendrait la vraie réponse : je lis pour faire sa place à la douleur. Je lis pour voir, pour bien voir – mieux que dans la vie – l'étincelante douleur de vivre. Je ne lis pas pour être consolée, puisque je suis inconsolable. Je ne lis pas pour comprendre, puisqu'il n'y a rien à comprendre. Je lis pour voir la vie en souffrance dans ma vie – simplement voir. Oui, allez donc répondre ça. La douleur est dans la vie des femmes comme un chat qui se faufile entre leurs jambes quand elles repassent le linge, refont les lits, ouvrent les fenêtres, épluchent une pomme. Un chat qui parfois leur prend le cœur, l'envoie rouler à plusieurs mètres, le reprend dans ses griffes, en joue comme d'une souris mourante. Ce chat est dans la vie des femmes même quand il les laisse en paix. Elles savent qu'il est là, dans un coin. Elles ne l'oublient jamais. Jusque dans la joie elles l'entendent respirer, comme on perçoit le chant d'une source sous tous les bruits de la forêt. Les hommes ne laissent pas la souffrance séjourner en eux. À peine l'ont-ils devinée qu'ils l'expulsent en violence, en colère, en travaux. Les femmes, elles, la reçoivent comme un chat affamé qui a besoin, pour reprendre vie, de les détruire. Elles ne bougent pas. Elles laissent faire et, pour occuper ce temps mort des souffrances, elles ouvrent un livre, un roman, encore un roman. Ce qu'elles y trouvent, c'est ce qui est dans chacun de leurs jours : l'espérance et les ruines, l'inquiétude et la grâce, l'éternelle plaie de vivre, un chat miséreux, chassé de partout, recueilli là, endormi sur la page, les flancs maigres, un prince noir de douleur. Quand elle n'écrit pas dans les carnets, quand elle ne lit pas dans les miroirs, elle regarde les hommes qui l'approchent. Elle a pour eux des manières brûlantes et froides. Elle séduit sans connaître sa séduction, elle séduit en raison de cette méconnaissance. Elle est comme lasse de plaire, fatiguée de vous et d'elle-même et de tout : présente, elle est absente. Elle est dans l'ombre, retournée vers l'enfance. À vingt ans elle avait de longs cheveux noirs. Une rivière aux épaules. Une armure de douceur. C'est peut-être ça qu'elle recherche dans les carnets dormants : l'ancien visage, l'image ouverte. Un peigne de mots sur l'encre noire. C'est peut-être ça, ou autre chose. Et même rien. Il y a besoin de si peu, pour écrire. Il n'y a besoin que d'une vie pauvre, si pauvre que personne n'en veut et qu'elle trouve asile en dieu, ou dans les choses. Une abondance de rien. Une vie à l'inverse de celles qui sont perdues dans leur propre rumeur, pleines de bruits et de portes. On écrit mal avec de telles vies. Elles sont sans intérêt à dire. On ne peut bien voir que dans l'absence. On ne peut bien dire que dans le manque. On ne peut, pour voir le pur visage de la mendiante, que tourner les pages d'un carnet, regarder ces écritures qui s'entassent dans le soir : l'héritage fabuleux qui grandit dans le sommeil de l'enfant.

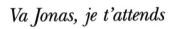

Va Jonas, je t'attends

Les deux filles marchent devant vous. Elles ont dix ans. Elles marchent sur la terre morte au-delà des pavillons. Le vent emmêle leurs cheveux, défait leurs paroles. Le vent est venu de l'océan, il est passé en maître sur des centaines de villes et de chemins, pliant les arbres, arrachant les clôtures, claquant les volets pour trouver ici sa pleine force, sur le visage de deux enfants, deux amies dans le royaume de leurs dix ans. Il a fallu au vent beaucoup de ruse, beaucoup d'amour et de patience pour les trouver là, il les a cherchées partout entre les pavillons frileux, jusqu'à ce terrain vague. Elles n'ont pas l'habitude d'aller ici, elles n'ont pas l'habitude de marcher sur l'océan de cette terre rouge. Une terre argileuse, remuée par les pelleteuses, fouillée par les orages, un reste d'infini. Des montagnes à la taille des enfants, des gouffres à la hauteur de leurs jeux. Devant vous, les deux filles et le vent qui les serre si fort qu'elles en étouffent de rire. Derrière vous, les murets des rési-dences, le désert familial. Les pavillons se ressemblent. La même pierre, le même toit, le même jardin vert – un vert en cage, une herbe sage. Le lotissement appartient à la banque. Les cadres optimistes en ont vendu chaque parcelle. Les vendeuses souriantes ont récité le catalogue : espace, lumière, confort. Les jeunes ménages ont étudié les plans, décidant de l'emploi des pièces avec autant de soin qu'on choisit le prénom de l'enfant à naître. Mon bureau dans ce coin, les enfants à l'étage et la mélancolie partout. Les pavillons ont poussé en une saison. Ils ont grandi comme on voudrait parfois que les enfants grandissent : sans défaut, sans histoire, sans vie. C'est après que la pluie est venue. Une pluie invisible, une poussière de ciment et d'argent, un air irrespirable dans les pièces neuves, un emprunt sur vingt ans. Les rues entre les pavillons portent des noms de fleurs ou d'écrivains. Une fausse monnaie de noms, de vieux costumes neufs. Les enfants vont d'un nom à l'autre, traversent les clôtures, s'éparpillent à l'heure du dîner, reviennent le soir, s'assoient sur la chaussée, circulent partout, bancs d'oiseaux sur la terre ferme. Les banques ni l'ennui de vivre pour rembourser les banques ne peuvent empêcher l'enfance de dépenser son or – sans compter. Les deux filles avancent sur le terrain vague, parfois le vent est trop fort et elles tournent vers vous un visage ébloui de froideur et de joie. Ce visage devient pour vous une énigme. Il porte un nom qui n'est pas seulement celui des enfants, qui est aussi celui de cette terre abandonnée par les architectes, les jeunes couples, les banquiers, abandonnée de tous sauf du vent. Un nom qui n'est pas comme celui des rues, un nom que le vent vous murmure bien plus tard dans le terrain vague d'une lecture, sous le manteau de ce livre désespéré de dieu – la Bible, un océan de voix rouge. La première connaissance de dieu dans la vie est une connaissance amère et sucrée, engloutie avec les premiers aliments d'enfance. L'enfant lèche dieu, il le boit, il le frappe, il lui sourit, il crie après lui et finit par dormir dans ses bras, repu au creux de l'ombre. C'est une connaissance immédiate, offerte aux nouveau-nés, refusée aux gens d'Église, refusée à ceux qui connaissent dieu d'une connaissance maigre – séparée de ce qu'elle connaît. Quand vous lisez la Bible c'est au plus loin de ces gens, une phrase, peut-être deux, pas plus. On ne peut bien lire dans la tempête. Vous ne pouvez lire plus d'une ligne ou deux dans ces pages bouleversées par le vent, tourmentées par le souffle d'une absence à tout préférable. La lecture de la Bible est un point extrême dans votre vie de lecteur, dans cette vie sous les ruines. L'autre point c'est la lecture du journal. Le journal c'est une lecture noire, épaisse, immobile. La Bible c'est une lecture blanche, lumineuse, ruisselante. Dans le journal vous lisez tout puisque rien n'est essentiel. Vous allez avec méthode du visage des gouvernants aux jambes des athlètes, de l'Amérique du Sud au fin fond de la Chine, du taux du dollar aux chiffres du chômage. La lecture du journal est une chose sérieuse, sans conséquence sur la vie comme toutes les choses sérieuses. Dans la Bible vous ne lisez qu'une phrase et c'est comme une goutte d'alcool pur, comme une larme des anges. Vous ouvrez le livre, vous posez le doigt au hasard sur la page, le doigt tombe sur un poisson, un palmier ou un agneau, vous lisez, vous allez de votre vie à la vie, du présent simple au présent plus-que-parfait. Dans la Bible il y a dieu et il n'y a même que lui. Il parle sans arrêt. Avec des mots et sans aucun mot, avec la foudre et avec la brise du léger matin d'avril, avec le murmure des épis de blé et avec le soupir du bœuf, avec l'écume d'une vague et la langue d'une flamme, avec toutes matières du monde il parle. Dans la Bible c'est dieu qui parle à dieu, sans arrêter une seconde, d'une voix rageuse, d'une voix souriante, d'une voix douce de colère, rauque à force de tant crier. Dans la Bible dieu n'en peut plus de parler à dieu et de n'être pas entendu, et il continue quand même d'appeler, une telle solitude, un tel amour, c'est impensable, vous touchez le livre et c'est votre pensée qui part en lambeaux, ne reste plus que vos yeux pour lire et brûler : comment peut-on être si seul et n'en pas mourir, comment peut-on mourir depuis si longtemps et pourtant être encore là, tant de force gaspillée depuis le premier jour du monde, tant d'amour, comment c'est possible. Dans la Bible le vent parle au vent, le vent se raconte des histoires pour n'être pas trop seul, le vent de dieu sur le lac d'une voix, le vent qui marche sur les eaux, le vent qui entre dans les maisons, dieu le vent, le souffle dieu. Un jour il dit à Jonas, Jonas tu vas aller vers les gens de cette ville, tu vas leur dire que je ne les supporte plus, qu'il est bien lourd mon cœur, bien noir mon sang, tu vas leur dire leur mort prochaine, va Jonas, je t'attends. Et Jonas ne veut pas amener avec lui un tel message, et Jonas ne veut pas tenir la foudre dans son cœur, alors il monte sur un bateau, il veut fuir dieu, il sait bien que ce n'est pas possible, il essaye, au moins il aura essayé, et le vent se lève sur la mer et le bateau souffre sur les eaux folles, les marins disent il y a quelqu'un ici qui ramène sur lui tous les chiens de la mort, sur lui donc sur nous, il faut s'en défaire, il faut jeter à l'eau celui-là. Jonas dit son histoire, dit qu'il ne veut pas tenir sa promesse, la promesse que dieu fait à dieu de tout anéantir, et les marins lancent Jonas à l'eau et une baleine qui passait là avale Jonas au fond de son ventre, au noir du monde, trois jours, trois nuits. Dans la baleine Jonas chante, il n'y a plus rien à faire qu'à chanter dans le noir, dans le ventre caverne du noir, enfin il dit c'est d'accord, j'abandonne, j'irai là-bas, je dirai à ces gens ta colère, leur châtiment. Et quand il a délivré son message, quand il a dit aux gens de cette ville : vous êtes perdus, vous êtes telle-ment perdus que vous ne savez plus que vous l'êtes, je viens vous l'annoncer, c'est le vent qui vous parle par ma voix, le vent qui viendra demain effondrer vos pavillons, vos banques, vos bonheurs tristes et vos jardins de cendre, quand Jonas a craché tous ces mots, il s'en va, assez content, tranquille, il a fait son travail. Les gens croient la nouvelle, ils pensent c'est fini, dieu ne reviendra pas sur sa décision, cette fois c'est la fin, et les voilà qui arrêtent leurs affaires, sortent de leurs bureaux et descendent dans la rue pour rejoindre la vie sans lendemain, c'est-à-dire la grâce de vivre, c'est-à-dire dieu. Et le plus beau est là, maintenant, comme partout dans la Bible, dans l'inconséquence de dieu, dans la faiblesse d'un dieu qui se laisse attendrir par l'abandon de ces gens, un dieu qui annule son décret, un dieu fou qui contredit le dieu sage – comme on voit le vent soudain hésiter, d'un seul coup revenir sur ses pas, tenir entre ses mains le visage de deux filles et céder devant tant de lumière et d'enfance, et soudain s'enlever toute violence, ne plus garder de sa force que la douceur, dire il y a donc plus fort que moi, plus fort que dieu l'orage, plus saint que dieu l'éclair, et s'incliner, s'incliner en riant comme un fou devant deux enfants de dix ans égarées sur une terre morte, place Jonas, résidence des baleines.

L'entretien

C'est une voix dans le noir. C'est une voix qui amène le noir avec elle – un noir d'une densité particulière. Un noir plus profond que la nuit, que la seule absence provisoire de jour. Un rideau de sang noir sur les yeux du lecteur. La marée montante d'une voix noire dans son âme. Mot après mot. Vague après vague. La voix monte au galop dans le songe. La voix va plus vite que le songe du lecteur, que son souhait enfantin de gagner un asile, une terre ferme. Le livre très vite s'efface. Il ne joue plus son air ancien, son air d'enfance. La maison du livre dans les arbres n'ouvre plus sur un ciel bleu, ne protège plus. Elle est engloutie par la voix noire, et cela dès la première page, dès la première phrase. On n'est plus celui qui lit, celui qui dort. On ne peut plus l'être. On n'est plus celui qui rêve, celui qui part. On est maintenu à l'intérieur de soi, entre les murs de la voix noire. Il n'y a plus de livre ni de lecteur. Il n'y a plus que soi, bouclé dans le noir, serré dans le vide. On tourne les pages mais il ne s'agit plus de lire. Il s'agit d'autre chose, on ne sait quoi. Autre chose. On lit comme on aime, on entre en lecture comme on tombe amoureux : par espérance, par impatience. Sous l'effet d'un désir, sous l'erreur invincible d'un tel désir : trouver le sommeil dans un seul corps, toucher au silence dans une seule phrase. Par impatience, par espérance. Et quelquefois une chose arrive. Une chose comme cette voix dans le noir. Elle défait toute impatience, elle dément toute espérance. Ne cherchant pas à consoler, elle apaise. Ne cherchant pas à séduire, elle ravit. Elle porte en elle-même sa propre fin, son propre deuil, son propre noir. Elle s'expose à ce point que celui qui l'écoute, à son tour, se découvre sans abri, sans recours. Délivré de soi, rendu à soi. Plus la voix se noircit, et plus on y voit clair. Plus la voix s'exaspère, et plus on respire. On est sorti de toute littérature. On est très proche de toute sainteté. L'écrivain c'est celui qui retient sur lui toutes clartés. Le saint c'est celui qui retient sur lui toutes noirceurs. Avec de la lumière, l'écrivain fait de l'encre. Avec de l'impureté, le saint fait la plus grande pureté qui soit. La voix dans le noir n'est pas celle d'un saint. Bien sûr. Mais elle n'est plus tout à fait celle d'un écrivain. Elle erre entre les deux. Une foudre de voix noire entre la terre et le ciel, entre le livre et les anges. La voix va avec un visage. On connaît le visage par une photographie dans le journal. Un visage charpenté, avec des yeux fixes. Un visage de bois massif, inébranlable. Le cos-

tume sur la photographie est élégant, sans affecta-
tion. Une cravate, une chemise blanche. Derrière la
voix noire, quelqu'un de convenable donc, de
convenu. Mais le nom, la cravate et le visage sont là
pour égarer, pour tromper. La voix continue, de
livre en livre, d'année en année. Sans rien perdre
de son flux. Les eaux noires sous la lune de cette
voix. La terre pâle sous le loup de cette voix.
Beaucoup de livres. Toujours le même. Le cœur
cède à chaque fois sous la poussée de l'encre, sous
la pression des mots. Les trente étages du cœur
s'effondrent dans l'instant de lire, dans l'éclair
d'entendre. Et que dit-elle, cette voix. Elle ne dit
rien de sensé. Elle est d'emblée dans la folie, dans
l'intouchable de la folie, dans la clarté de tout
désordre, dans la plus grande lumière qui soit, au
centre de toute souillure, de toute blessure.
Inguérissable, intarissable. Elle dit, elle éclaire. Elle
dit, elle guérit. Elle ramasse en elle tous nos restes,
nos déchets, nos démences. L'hôpital, la prison,
l'école, l'usine. La maladie, la gloire, l'idiotie. La
folie du pauvre et celle du riche. La folie d'être fou
et celle de ne pas l'être. Un homme sain d'esprit
c'est un fou qui tient sa folie dans une poche de
sang noir – entre le cerveau et le crâne, entre sa
famille et son métier. C'est un fou furieux qui ne
saura jamais guérir, n'étant jamais malade. Un fou
c'est un homme sain d'esprit qui n'a plus les
moyens de sa folie, qui perd les eaux de sa folie,
d'un seul coup. Il fait faillite. Il lâche ce qui ne

reposait que sur lui : la corvée du langage, la comédie du travail. Le monde entier. Le fou c'est celui qui gagne les coulisses. La voix s'adresse dans le noir à ceux qui demeurent sur les planches. Voilà, elle dit, cette voix. Voilà ce qu'il en est de vos intelligences, de vos printemps, de vos croyances. Voilà ce qu'il en est de vos principes, de vos musées, de vos discours. Sous vos santés, beaucoup de ruines. Sous vos couples, beaucoup de haine. Sous vos fortunes, tellement de meurtres. On se dit, c'est inévitable, elle exagère, cette voix. On se dit, ces écrivains, quand même. Et puis non. Elle n'exagère pas cette voix. Elle n'est pas trop haute, pas trop forte. Elle est juste, d'une justesse d'enfance, d'une justesse d'avant la nuit, d'avant l'âge malfaisant de vivre en société. Une colère si souveraine, ce n'est pas pour détruire. C'est pour vivre, simplement vivre. Si la voix saccage tout dans le monde, foudroie tout dans la tête, c'est comme l'enfant qui use la patience de sa mère pour vérifier que la mère est bien là, d'une patience inusable, d'un amour à toute épreuve. À l'épreuve du monde comme ordure, à l'épreuve du cœur comme fatigue. Une seule fois la voix s'éclaire. Une seule fois le noir s'enflamme. Le temps d'une phrase. Une seule fois celui qui désire tout vaincre – puisque tout cherche à nous vaincre, puisque nous sommes en lutte constante contre tout, puisqu'il n'est pas d'autre issue que la défaite ou la victoire, totales dans un cas comme dans l'autre, absolues dans un cas comme dans l'autre –, oui une seule fois celui qui désire triompher de tout s'avoue vaincu par bien plus fort que lui. Une phrase, une seule fois. Cette phrase n'est pas dans ses livres. On peut les lire, les relire, on ne l'y trouvera pas. Elle est dans le journal, dessous la photographie. Elle dure le temps du journal, vingt-quatre heures, elle reste en vous depuis maintenant sept ans. Elle est prononcée à la table d'une auberge, devant un journaliste qui interroge l'écrivain, sans doute sans l'avoir lu, qui lui pose des questions sur l'avenir de la littérature et le cours du dollar, sur l'électronique et les Pères de l'Église, sur tout et rien. L'homme à la voix noire répond à tout comme à rien. Il répond méthodiquement, en détruisant chaque question. À la fin le journaliste est fatigué, il a faim peut-être, c'est l'heure de rentrer, ou bien il se demande ce qu'il fout là, devant un imbécile qui ne sait rien dire d'agréable, d'optimiste, ou bien encore le journaliste cède au désespoir de sa propre bêtise, arrêtons là, finissons-en, une dernière question et je vous laisse à vos travaux. Entre le journaliste et l'écrivain, une table de marbre. Sur la table deux verres de vin, et toutes les ruines des questions précédentes. Le journaliste fatigué interroge une dernière fois sans y croire, sans attendre la réponse, tout prêt à ranger son stylo dans une poche, son carnet dans une autre poche : et si venait un grand amour, une passion, que feriez-vous. Et l'autre, la voix soudain blanchie : mais ça, on ne peut pas l'empêcher. Mais ça on n'y peut rien, absolument rien. L'amour c'est bien plus grand que nous, bien plus grand que tout. Puis il se tait. Et le journaliste se tait aussi. Et tout se tait autour de ces deux-là, le temps d'une phrase, une seconde de repos non illusoire, d'éternité non mensongère.

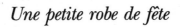

Une petite robe de fête

Il n'y a rien en nous. Il n'y a personne. Il n'y a en nous qu'une attente sans couleur et sans forme. Elle n'est l'attente d'aucune chose. Elle est en nous comme de l'air mélangé à de l'air. Elle ne ressemble à rien, sinon peut-être à l'extrême pointe d'une lassitude. Cette attente n'a pas toujours été là. Nous n'avons pas toujours été rien, personne. Dans l'enfance nous étions tout et dieu n'était qu'une part infime de nos domaines – quelque chose comme un brin d'herbe dans un pré.

C'est avec la fin de l'enfance que l'attente a commencé. C'est après notre mort que nous avons commencé à attendre.

On fait quelques pas hors de l'enfance, puis très vite on s'arrête. On est comme un poisson sur le sable. On est comme celui qui piétine dans sa mort, un adulte. On attend. On attend jusqu'à ce que l'attente se délivre d'elle-même, jusqu'à l'équivalence d'attendre, de dormir ou mourir. L'amour commence là – dans les fonds du désert. Il est invisible dans ses débuts, indiscernable dans son visage. D'abord on ne voit rien. On voit qu'il avance, c'est tout. Il avance vers lui-même, vers son propre couronnement.

Ainsi vous ai-je vue avancer dans la poussière d'été, toute légère dans votre robe toute blanche.

Celle qu'on aime, on la voit s'avancer toute nue. Elle est dans une robe claire, semblable à celles qui fleurissaient autrefois le dimanche sous le porche des églises, sur le parquet des bals. Et pourtant elle est nue – comme une étoile au point du jour. À vous voir, une clairière s'ouvrait dans mes yeux. À voir cette robe blanche, toute blanche comme du ciel bleu.

Avec le regard simple, revient la force pure.

Dans le moulin de ma solitude, vous entriez comme l'aurore, vous avanciez comme le feu. Vous alliez dans mon âme comme un fleuve en crue, et vos rires inondaient toutes mes terres. Quand je rentrais en moi, je n'y retrouvais rien : là où tout était sombre, un grand soleil tournait. Là où tout était mort, une petite source dansait. Une femme si menue, qui prenait tant de place : je n'en revenais pas.

Il n'y a pas de connaissance en dehors de l'amour. Il n'y a dans l'amour que de l'inconnaissable.

Je vous reconnaissais. Vous étiez celle qui dort tout au fond du printemps, sous les feuillages jamais éteints du rêve. Je vous devinais depuis longtemps déjà, dans la fraîcheur d'une promenade, dans le bon air des grands livres ou dans la faiblesse d'un silence. Vous étiez l'espérance de grandes choses. Vous étiez la beauté de chaque jour. Vous étiez la vie même, du froissé de vos robes au tremblé de vos rires.

Vous m'enleviez la sagesse qui est pire que la mort. Vous me donniez la fièvre qui est la vraie santé.

Du temps a passé. Des jours ont brûlé : aucune cendre sur le seuil. Nous ne nous éloignions pas du clair feuillage des origines. Comme si vous n'aviez jamais quitté cette petite robe de fête. Comme si je n'avais cessé d'y deviner l'innocence de toutes choses, la merveille d'un Noël sur la terre. L'amour nous redonnait toujours un pur visage d'enfance, soufflant l'ombre sur nos traits. Comme si le temps n'était rien. Comme si l'amour était tout .

Vous étiez comme un moineau sautillant dans mon cœur. J'apprenais les manières des grands arbres. Le moindre écart et vous vous envoliez jusqu'à ce ciel en vous, inaccessible.

Et puis vous êtes partie. Ce n'était pas trahir. C'était suivre le même chemin en vous, simple dans ses détours. Vous emportiez avec vous la petite robe de neige. Elle ne dansait plus dans ma vie. Elle ne tournait plus dans mes rêves. Elle flottait sous mes paupières lorsque je les fermais pour m'endormir, juste là : entre l'œil et le monde. Le vent des heures l'agitait fiévreusement. L'orage des chagrins la rabattait sur le cœur, comme un volet sur une vitre fêlée.

Qui n'a pas connu l'absence ne sait rien de l'amour. Qui a connu l'absence a pris connaissance de son néant – de cette connaissance lointaine qui fait trembler les bêtes à l'approche de leur mort.

Dans la mort le chemin devient d'un seul coup si étroit que, pour passer, l'on doit se laisser tout entier. En éparpillant tous nos biens, l'amour nous dispose à cette fin. Il passe comme une pluie de lumière au jardin. Il laisse en nous une solitude toute fraîche. C'est une connaissance calme. C'est une lumière douce dans les fins de l'été, à la tombée de l'enfance.

Vous n'êtes pas cause de ma solitude. Elle dormait en moi bien avant vous. Vous êtes celle qui – pour l'avoir éveillée – lui ressemble le plus.

Avec la fin de l'amour, apparaissent les rois mages : la mélancolie, le silence et la joie. Ils avancent lentement dans l'air bleu. Ils emmènent avec eux une couronne d'ombre, une larme d'or. Ils viennent de l'enfance. Ils pénètrent dans l'âme. Lentement. Jour après jour. La mélancolie, le silence et la joie. Dans cet ordre-là, toujours : le silence au milieu, au centre.

La petite robe claire du silence.

Une histoire dont personne ne voulait   13

Et qu'on le laisse en paix   23

Faiblesse des anges   31

Regarde-moi, regarde-moi   41

Terre promise   49

Vie souterraine   57

Va Jonas, je t'attends   65

L'entretien   73

Une petite robe de fête   81

DU MÊME AUTEUR

Aux Éditions Gallimard

LA PART MANQUANTE (Folio n° 2554)

LA FEMME À VENIR

UNE PETITE ROBE DE FÊTE (Folio n° 2466)

LE TRÈS-BAS (Folio n° 2681)

L'INESPÉRÉE

LA FOLLE ALLURE

DONNE-MOI QUELQUE CHOSE QUI NE
MEURE PAS, en collaboration avec Édouard Boubat

Aux Éditions Fata Morgana

SOUVERAINETÉ DU VIDE (Folio n° 2680)

LETTRES D'OR (Folio n° 2680 *à la suite de* Souveraineté du
vide)

L'HOMME DU DÉSASTRE

ÉLOGE DU RIEN

LE COLPORTEUR

LA VIE PASSANTE

LE LIVRE INUTILE

Aux Éditions Lettres Vives

L'ENCHANTEMENT SIMPLE

LE HUITIÈME JOUR DE LA SEMAINE

L'AUTRE VISAGE
L'ÉLOIGNEMENT DU MONDE

 Aux Éditions Paroles d'Aube

LA MERVEILLE ET L'OBSCUR

 Aux Éditions Brandes

LETTRE POURPRE
LE FEU DES CHAMBRES

 Aux Éditions Le Temps qu'il fait

ISABELLE BRUGES
QUELQUES JOURS AVEC ELLES
L'ÉPUISEMENT
L'HOMME QUI MARCHE

 Aux Éditions Théodore Balmoral

CŒUR DE NEIGE

Impression Bussière à Saint-Amand (Cher),
le 15 mars 1996.
Dépôt légal : mars 1996.
1er dépôt légal dans la collection : mars 1993.
Numéro d'imprimeur : 606.
ISBN 2-07-038724-0./Imprimé en France.

76747